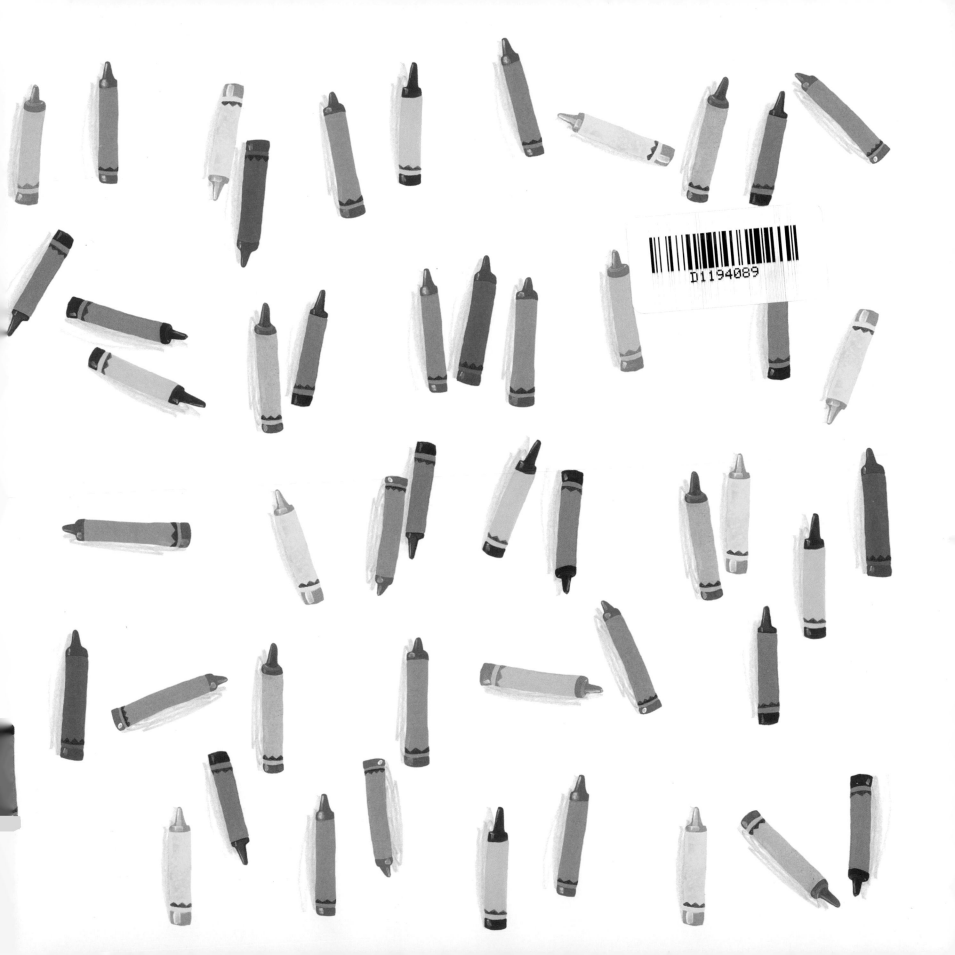

Pour Marichelle, Abigail et Reese —D.D.

Pour Ewan —O.J.

RÉBELLION chez les CRAYONS

BOÎTE DE 12

CRAYONS

Ça ne va PAS du TOUT

De DREW DAYWALT
ILLUSTRÉ par OLIVER JEFFERS

kaléidoscope

Un jour, à l'école, Duncan voulut
prendre ses crayons de cire
et il trouva sur la boîte
un paquet de lettres à son nom.

Salut Duncan,

C'est moi, Crayon ROUGE.

Il FAUT qu'on parle. Tu me fais beaucoup plus travailler que tes autres crayons. D'un bout à l'autre de l'année, je m'use à colorier des CAMIONS DE POMPIERS, des POMMES, des fraises, Bref, TOUT ce qu'on PEUT TROUVER de ROUGE. Je travaille même pendant les vacances!

Je dois colorier tous les PÈRES NOËL et aussi TOUS les cœurs pour la SAINT-Valentin! J'AI BESOIN DE REPOS.

Ton ami surmené, Crayon ROUGE

cher Duncan,

Bon, ÉCOUTE BIEN !
J'adore être ton crayon préféré
pour les grappes de raisin,
les dragons et les chapeaux de
sorcier, mais ce qui me rend
dingue, c'est que ma splendide
couleur déborde si souvent du dessin.
SI tu NE TE DÉCIDES PAS BIENTÔT
À COLORIER À L'INTÉRIEUR des
lignes, je vais CRAQUER !

Ton ami méticuleux,
Crayon Violet

Cher Duncan,

J'en ai marre qu'on m'appelle
"brun clair" ou "blé doré".
Je ne suis ni l'un ni l'autre.
Je suis BEIGE et fier de l'être.
Et j'en ai marre aussi de passer
après Monsieur Crayon Marron.
Ce n'est pas juste que les ours,
les poneys et les petits chiens
aillent à Crayon Marron, il ne me
reste que la dinde de Noël (et encore)
et le blé. Sincèrement, as-tu
déjà vu un enfant s'éclater
en coloriant du blé ?
Il faut qu'on parle.

Ton ami BEIGE,
Crayon Beige

Duncan,

Ici, CRAYON GRIS. Tu me TUES!

Je sais que tu adores les Éléphants et je sais que les éléphants sont gris, mais ça fait ÉNORMÉMENT d'espace à colorier pour moi tout seul. Et je ne te parle même pas des hippopotames et des

BALEINES À BOSSE...

Imagines-tu mon épuisement quand je termine un de ces trucs? De si GROS animaux... Les bébés pingouins sont gris, eux aussi, tu sais. Comme les tout petits rochers ou bien les cailloux. Et si tu alternais de temps en temps, ça me reposerait?

Ton ami épuisé,
Crayon GRIS

Cher Duncan,
Tu te sers de moi, mais pourquoi?
La plupart du temps, la page
sur laquelle tu dessines est de
la même couleur que moi:
   BLANCHE.
Si je n'avais pas une collerette
noire, tu ne saurais pas que
   JE SUIS LÀ ! Je ne suis
même pas dans l'arc-en-ciel,
je sers juste à colorier la
   NEIGE ou à combler le vide
entre deux trucs. Ce qui fait
que je me sens... disons... absent.
   Il faut qu'on parle.

   Ton ami absent,
      Crayon Blanc

chat blanc
dans la neige

par

Duncan

Salut, Duncan,

Je DÉTESTE qu'on m'utilise pour tracer le contour des choses... des choses coloriées par d'autres crayons de couleur qui tous pensent qu'ils valent mieux que moi! Tu te sers de moi pour dessiner un joli ballon de plage et ensuite tu prends les AUTRES CRAYOnS pour le colorier, ce n'est PAS JUSTE! Pourquoi ne ferais-tu pas un ballon noir de temps à autre ?

Ton ami,
Crayon Noir

Cher Duncan,

En tant que Crayon Vert, je t'écris pour deux raisons. La première pour te dire que j'adore remplir toutes les tâches que tu me confies, crocodiles, arbres, dinosaures et grenouilles. Je m'en sors bien et j'aimerais t'adresser mes plus vives félicitations, tu as un brillant avenir dans "la coloration des choses en vert". La seconde raison, ce sont mes amis Crayon Jaune et Crayon Orange, qui ne s'adressent plus la parole. Ils pensent l'un ET l'autre qu'ils devraient être la couleur du soleil. S'il te plaît, règle vite le problème parce qu'ils sont en train de nous rendre FOUS.

Ton ami bienheureux.
Crayon Vert

Cher Duncan,

Je suis Crayon Jaune.
Il faut que tu dises à crayon orange
que c'est MOI la couleur du Soleil.
Je le lui dirais volontiers mais
nous ne nous parlons plus. Et je peux
PROUVER que je suis la couleur
du Soleil : mardi dernier, tu m'as
utilisé pour colorier le soleil
de la "FERME JOYEUSE" de
ton livre de coloriage. Pour
le cas où tu aurais oublié,
c'est page 8, tu ne PEUX PAS
me RATER, je scintille brillamment
au-dessus d'un champ de maïs JAUNE !

Ton copain (qui est aussi la véritable
                    couleur du Soleil),
        Crayon Jaune

Ferme joyeuse

Cher Duncan,

Je vois que ce GROS PLEURNICHEUR
de Crayon Jaune t'a déjà écrit.
Peu importe. Mais, s'il te plaît,
peux-tu dire à ce rapporteur qu'il
N'EST PAS la couleur du soleil ?
Je le lui dirais volontiers mais
nous ne nous parlons plus. Nous
savons tous les deux que je suis
forcément la couleur du SOLEIL
puisque jeudi tu m'as utilisé pour
colorier le soleil À LA FOIS dans
"L'île du singe" et dans "Voici le gardien
du zoo" de ton livre de coloriage
"UN JOUR AU ZOO". Hein que ça
t'orange bien de m'avoir ? Hihi !
Ton copain (qui est aussi la véritable
                        couleur du soleil),
    Crayon Orange

Voici le gardien du zoo

L'île du singe

Cher Duncan,

C'était génial d'être ton crayon PRÉFÉRÉ cette année. Et aussi l'année d'avant. ET CELLE d'AVANT encore! J'ai vraiment adoré tous ces OCÉANS, LACS, RIVIÈRES, gouttes d'eau, nuages de pluie et ciels d'été. Mais la MAUVAISE NOUVELLE est que j'ai tellement raccourci que je suis maintenant plus petit que le bord de la BOÎTE DE CRAYONS. J'AI besoin de REPOS!

Ton ami tout raccourci,
Crayon Bleu

Duncan,

Bon, ÉCOUTE BIEN, GAMIN !
Tu ne m'as pas utilisé UNE SEULE FOIS
cette année. Tu penses que je suis
une couleur de FILLE, c'est ça ?
À ce propos, remercie, je te prie,
ta petite soeur, de m'avoir utilisé
dans son livre de coloriage
"Jolie PRINCESSE". Elle a fait
un travail extraordinaire
en ne me faisant jamais déborder !
Bon, en ce qui nous concerne,
pourrais-tu, S'IL TE PLAÎT,
m'utiliser à l'occasion pour
colorier en rose un dinosaure,
un MONSTRE ou un COW-BOY ?
Une touche de couleur ne leur ferait
pas de mal.
Ton ami pratiquement neuf,
Crayon Rose

SALUT DUNCAN,
c'est moi CRAYON PÊCHE

Pourquoi as-tu arraché
le papier qui m'entourait ?
Maintenant, je suis NU et je n'ose
plus quitter la boîte de crayons.
Je n'ai même pas de sous-vêtements !
Tu aimerais, TOI, aller à l'école
tout nu ? J'ai besoin de
vêtements ! AU SECOURS !

Ton ami nu,

crayon Pêche

DUNCAN

Duncan

Cher Duncan
Je suis...
Il faut q...
que c'est M...
le lui dira...
ne nous p...
...UVER q...
...l mardi...
pour C...
...ER...
...PATER...
...-dessus...
Ton...

...age...
...bien...
Orange
...ge...
...ver...
...n couleur...
...n est aussi la vérit...
...Orange de soleil !

...Ma... avoir ? Hein que...
...vre de coloriage...
...garde sa...
...SOLEIL...
...tilisé pour...
...La FoIs pour...
...solei...
le probl...
train...
Ton...

...sa... vo...
Je DÉT...
tracer un...no...
des...no...
cra...a...
pen...no...
T...
n...

Bon...
pourra...
m'utiliser...
colorier
un Monstre...
Une touche de couleur ne leur ferait
pas de mal.
Ton ami pratiquement neuf,
Crayon Rose

...n COW-BoY ?

...Ros p...
FoIs
...ça ?
...isé
...fait
seul...
...aire
...der !

...préfè...
...isin,
...préféré
Ton ami BE...
Crayon Beige

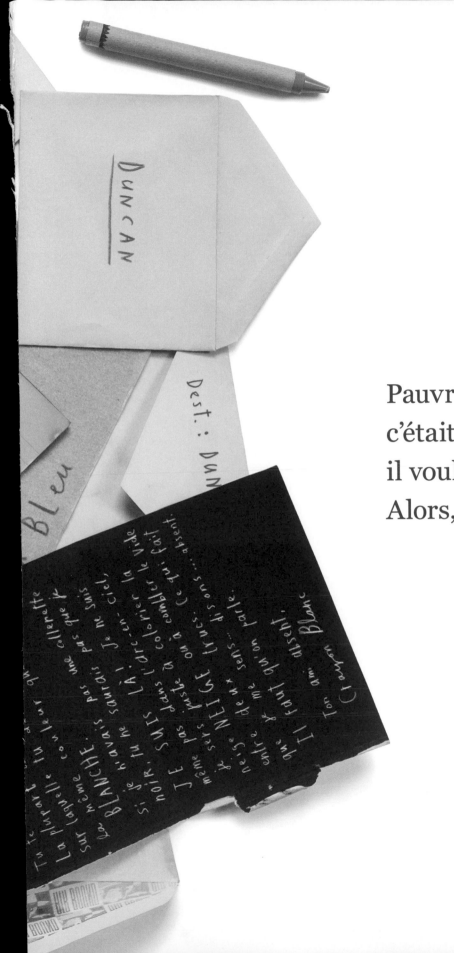

Pauvre Duncan, tout ce qu'il voulait,
c'était colorier... et, bien sûr,
il voulait aussi le bonheur de ses crayons.
Alors, il eut une idée.

Quand Duncan montra son nouveau dessin à la maîtresse,
elle le félicita pour son coloriage et...

. . . il reçut un bon point pour son inventivité !

Des mêmes auteurs :

Les crayons rentrent à la maison

Le livre des nombres des crayons

Le livre des couleurs des crayons

Les dessins de ce livre sont l'œuvre des... euh... crayons.
Et de quelques petits amis - Frieda, Leni, Mia, Shay, Peadar, Logan
et plus particulièrement Ewan.

Le graphisme des lettres de l'édition française est l'œuvre de Kris Di Giacomo.

Texte traduit de l'anglais par Élisabeth Duval

Titre de l'ouvrage original : THE DAY THE CRAYONS QUIT
Édition originale publiée aux USA par Philomel Books, an imprint of Penguin Random House LLC, en 2013
Édition originale publiée au Royaume-Uni par HarperCollins Children's Books en 2013
Text copyright © Drew Daywalt 2013
Illustrations copyright © Oliver Jeffers 2013
Pour la traduction française : © 2014 Kaléidoscope,
11, rue de Sèvres, 75006 Paris, France
Published by arrangement with Philomel, a division of Penguin Young Reader's Group, a member of Penguin Group (USA).
Published under licence from HarperCollins Children's Books, a division of HarperCollins Publishers Ltd (UK).
Tous droits réservés
Loi n° 49.956 du 16 juillet 1949 sur les publications
destinées à la jeunesse : mars 2014
Dépôt légal : octobre 2018
ISBN 978-2-877-67808-7
Imprimé en Chine

Diffusion l'école des loisirs

www.editions-kaleidoscope.com